STRAAT

Junte Uiterwijk

WOORD

BEELD

Kinza Ferjani

WDK
WAANDERS & DE KUNST

MUSEUM DE FUNDATIE

INHOUD

VOORWOORD

Voor het project *Straat Woord Beeld*, een vervolg op *Land Woord Beeld* uit 2013, hebben dichter en rapper Junte Uiterwijk en fotografe Kinza Ferjani het leven van een vijftal dak- en thuislozen uit Zwolle gedocumenteerd. Voor *Land Woord Beeld* trokken Uiterwijk en Ferjani langs zeven landgoederen in Overijssel om het leven en de ontwikkeling van het oude feodale landschap te verbeelden. Nu richten zij hun aandacht op degenen zonder huis.

In de afgelopen tien jaar is de thematiek van de dak- en thuisloze in Zwolle veel bediscussieerd. Ooit was er zelfs een politiek manifest dat als ambitie aangaf: 'In 2007 slaapt er niemand op straat'. En natuurlijk kennen we de activiteiten van het Leger des Heils, van De Herberg en vele andere instanties: een leger aan hulpverleners doet zijn werk. Inmiddels is het 2014 en nog steeds kan de vraag worden gesteld of er echt niemand op straat slaapt, of echt iedereen een thuis heeft. En nog steeds wordt er veel energie en geld gestopt in nacht- en dagopvang, verslavingszorg, psychiatrische ondersteuning, schuldsanering, noem maar op. Al die hulp lijkt de problematiek van deze groep niet heel erg te verkleinen. Veel wordt er over hen gepraat, soms mét hen. Junte Uiterwijk en Kinza Ferjani hebben dat laatste gedaan en geprobeerd een eerlijke weergave van het dagelijks leven van de dak- of thuisloze te geven. Zonder te dramatiseren in tekst en beeld en geluid. Zij hebben clichés vermeden. Vijf aansprekende portretten. Vijf verhalen van verdriet en schoonheid, van menselijkheid die gaat boven het materiële.

Wij danken Junte Uiterwijk en Kinza Ferjani voor hun kunst en de geportretteerden voor hun openheid. Ook zijn wij Gerrit Teunis, directeur van woningstichting Beter Wonen Vechtdal erkentelijk voor zijn rol als initiatiefnemer van het project *Straat Woord Beeld*.

Ralph Keuning
Directeur Museum de Fundatie

De Hit

Geïnspireerd door Herma en Frans

Je bent jong en je wilt wat

Dus je begint wat

Rond te kijken en vindt wat

Liggend op je pad

WIT

Wat is dit?

Je experimenteert wat

Je gaat er lekker op en voor je weet wil je d'r meer van

Je partner is niet aanwezig, hij zit vast

De verkeerde types zijn er en breken je weerstand

Van een gewoonte ga je naar een lichte drang

Van een lichte drang naar dwang, je zit er aan

Tientallen malen jezelf beloven, dit is het dan

'Dit was de allerlaatste maal dat ik die shit weer nam'

De volgende dag denk je 'ach, ik heb het in de hand'

Tot na de eerste hijs als je brein zich vult en hult

in een zalige mist en je tintelt aan de binnenkant

Een mindfuck

Een mindfuck

Nu gaat alles om scoren net als bij een interland

Je vriend komt thuis en raakt ook in de ban

van de HIT

　　[Het is de hit]

Geef me nog een hit!

　(8x)

Nu sta je met de daklozenkrant in je hand aan de Hogekampsweg

En de po-po checkt of je de verkoperspas hebt

Mensen kijken langs je heen en geven gas

Houden hun tas stevig vast

Je bent wat gewend

Dat gaat niet in de koude kleren zitten

maar het merendeel van de tijd denk je: 'De tijd zal het leren'

Je hebt ervaring opgedaan, daar sta je van versteld

Op straat worden alle lagen beschaving afgepeld

Misschien komt je liefde voor de dieren daar vandaan

De hond en de kosten om te zorgen voor je cavia

   [Je zegt]

Liever het geld daar naartoe dan in de pijp

Een actie waar bij Tactus niemand iets van begrijpt

Kijk, het is simpel

Dieren hoeven niet te lijden

Verder blijf je weg van illegale praktijken

Je blijft kijken naar de toekomst

Wie zal er overblijven?

Blijf dromen

En hopen

En je neemt nog een....

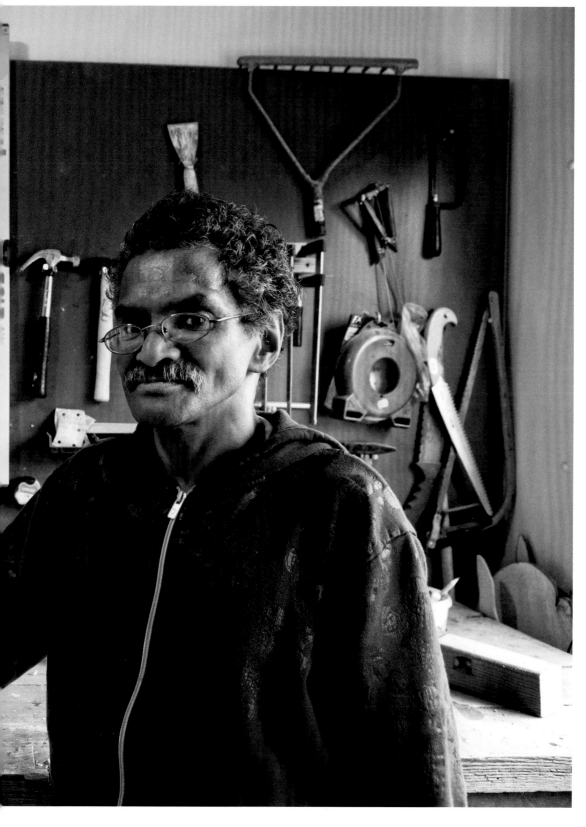

17

WOORD

(Wil Hier Niet Zijn Maar) Ik Ben Er

Geïnspireerd door André

Eens in 't verleden ging ik volledig door het lint

Sindsdien zijn mijn dagen een psychiatrisch labyrint

Maar laat me [Laat Me!]

Vertellen wat ik vind

van 't leven en de omgeving waar ik mij in bevind

Ik overdrijf niet het lijkt op een woestijn

woestenij

weinig goeds overkwam mij

Nu ben ik moe, vermoeid, ik voel me niet vrij

Zoek naar de beauty op het doek van mijn schilderij

Creativiteit [is] in mijn leven de hoofdzaak

Probeer iets moois te maken

Wil iets overdragen

Het is wijs om wat te weten, niet om er over te praten

Dus is het beter koeien in de sloot te laten

Een leeg canvas op mijn ezel

De kat Spot spint, ik ontsnap, al is het even

Aan m'n gedachten als ik teken..

Verder niet veel nodig

Schilder een Engel of de tien geboden

Kan niet tegen die hardheid, de puinhoop, ellende

Het draait hier om oorlog, pijn en de centen

Te veel ruis op mijn zender

Te veel duisternis op mijn kalender

Ik wil hier niet zijn maar ik ben er

Ik wil hier niet zijn maar ik ben er

WOORD

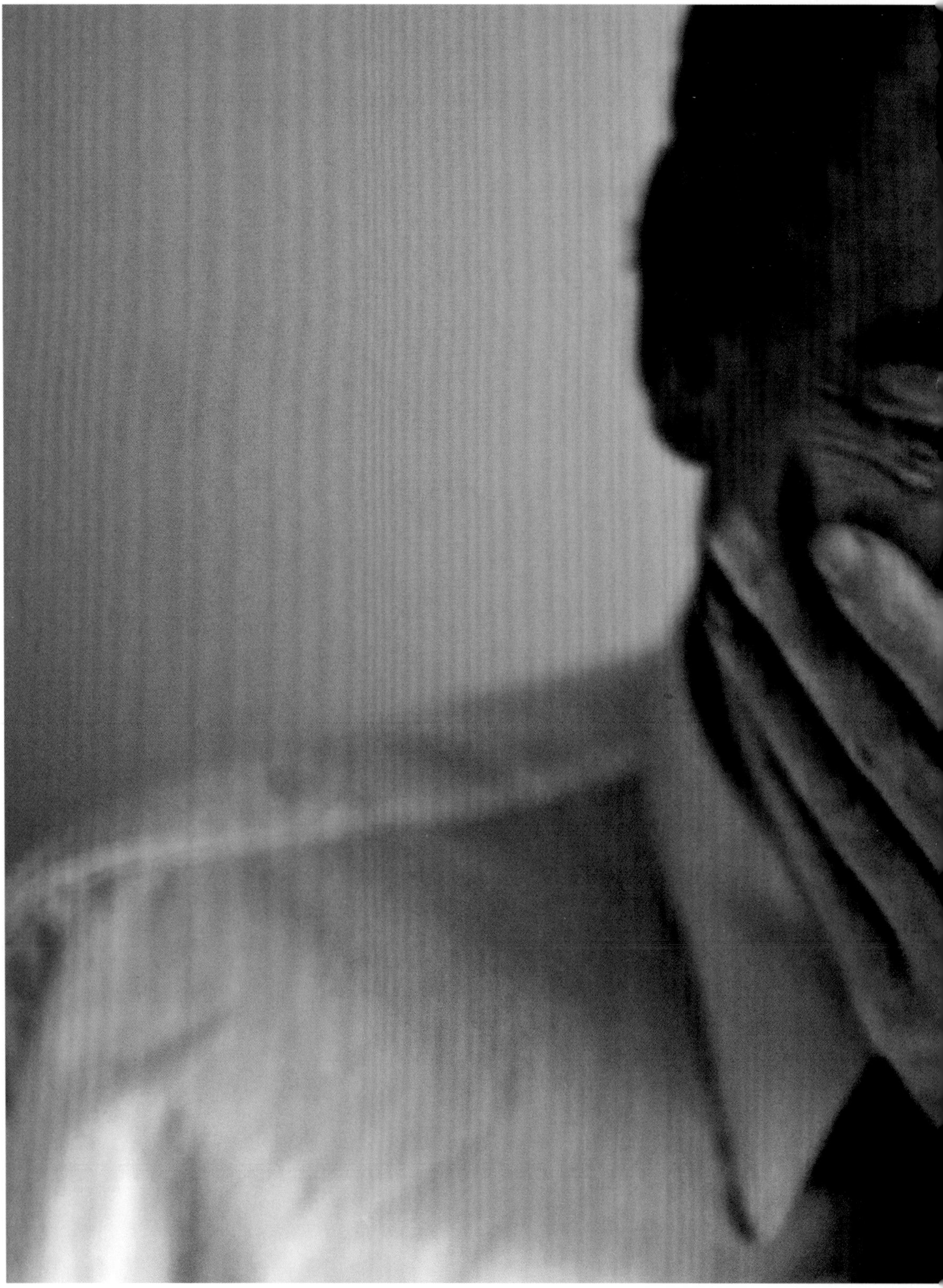

Het Zit Tegen

Geïnspireerd door Henk

Stel: je ouders overlijden in kort tijdsbestek

En kort daarna word je je huis uitgezet

De plek

Waar al de stappen liggen, die je tot nu toe zette

Daar wil je voor vechten al kun je je daar bijna niet toe zetten

Je laat je niets vertellen

Maar ze hebben het recht jou te zeggen dat je moet vertrekken

Waarnaartoe?

    [Zeg het maar]

Zoek het uit

    [Zoek het uit]

Geen kado's, geen loon

Je zit in de WAO

Het leven loopt scheef maar het vuur in je ogen

Valt gewoonweg niet te doven

Je gaat niet K.O. van een hoop ellende

Dus loop je verder

Met een stuk of wat overhemden

Geplaatst onder je arm

Naast je ziel, kalm

Klop je aan bij de open herberg

En nu slaap je op een kamer

Met vijf anderen naast je

Die snurken als ze slapen

Vastbesloten om er wat van te maken

Het zit tegen nou

Het zit tegen nou

...en je gaat maar door

   [Het vuur in je ogen valt gewoon niet te doven!]

(2x)

Je ouders heb je al een mooie plek gegeven

Je gaat er een à twee keer per week langs om respect te geven

Men noemt je fel, maar met een goed hart

Doorgaan is voor jou simpel: je moet wat

Veertig jaar scheids

Gevoel voor rechtvaardigheid

De SWZ is dat voor jouw gevoel al jaren kwijt

Ieder zijn standpunt

Jij de jouwe

Maar de jouwe mag je bij je houden ouwe!

Nu schenk je koffie in en maak je praatjes

Fietst vijftig kilometers overdag en 's avonds,

Vrijwilligerswerk eigenzinnig en sterk

Met een Zwolse tongval totdat je d'r bij omvalt

De officieuze concierge

in de herberg, houdt alles op orde en netjes

binnenkort op een plekje

het zit er aan te komen, een eigen woning

op een etage boven, mooi zo!

Het zit tegen nou

Het zit tegen nou

...en je gaat maar door

   [Het vuur in je ogen valt gewoon niet te doven!]

(2x)

WOORD

BEELD

ONRUST

Geïnspireerd door Björn

Ik word wakker met een missie

alles is gericht op een Witte-Bol en ik heb het niet over Deniz

Teken skulls met precisie maar zonder plezier

Pak de fiets, pakket in mijn vizier

Kom terug met de vangst van een dag werken

De Herbergkrant sellen en de kas spekken

Hoop dat die paar cent nog wat meer wordt

Terwijl ik de hele dag door genegeerd word

Hou me kalm, niet flippen of te boos doen

De politie bekijkt de boel met een groothoek

Overleef dit ternauwernood nu

Maar er zit geen toekomst in als in een telefoonboek

Vroeger voetbalde ik en was ik sportief

Nu kan het me verrotten als een kies

Misschien ben ik te soft en klopt dat precies

Wissel je woord met me dat kost je niets

Op de fiets in de stad ik ben onderweg

Omdat ik binnenin altijd die onrust heb

Ik denk alleen maar aan mijn doel, geen dorst of trek

Ik wil alleen maar 1, 2 hijsen voor mij

(2x)

Eerlijke Dingen

Geïnspireerd door Omar

Ik ken het leven op straat

   [Snap je]

Ken de routes door de stad

   [Snap je]

Ik ben blij als ik hier weg kan

   [Snap je]

Ik heb het wel gehad

   [Eerlijke dingen!]

Een vrouw en een baan

   [Dat was wat ik had]

Een huis en een haard

   [Dat was wat ik had]

Ik ken het leven op straat

   [Snap je]

Ken de routes door de stad

   [Snap je]

Ik ben blij als ik hier weg kan

   [Snap je]

Ik heb het wel gehad

   [Eerlijke dingen!]

Alles voor elkaar totdat 't instortte

en ik ging kats van het pad

   [Eerlijke dingen!]

Dus nu ken ik het leven op de straat en weet ik wat ik waar moet halen

En hoe ik het iedere dag weer voor elkaar moet maken

op eigen benen leren staan tijdens de zware dagen

Wil mijn maten niet vragen of ik daar mag slapen

Ik bedoel en dan?!

Ik moet ook verder komen en op mezelf wonen

Kennelijk heb ik ooit een verkeerde beslissing genomen

Verkeerde afslag

En als het mij gebeuren kan, kan iedereen een keer het pad af

Alles op zijn kop, radslag

Ik had mijn meissie, ging trouwen, totdat zij d'r van af zag

Ze zei het drie dagen voor de bruiloft

kling!

Daar ging mijn ruit in

Nu ben ik haar kwijt, en bovendien mijn baan kwijt, al mijn

knaken kwijt

en sta ik buiten

kling!

Nog een ruit in

Dus zit ik in de herberg en neem ik keer op keer mijn lessen weer

Met een paar euro op zak geholpen door budgetbeheer

Ik ken het leven op straat

    [Snap je]

Ken de routes door de stad

    [Snap je]

Ik ben blij als ik hier weg kan

    [Snap je]

Ik heb het wel gehad

    [Eerlijke dingen!]

Een vrouw en een baan

    [Dat was wat ik had]

Een huis en een haard

    [Dat was wat ik had]

Ik ken het leven op straat

    [Snap je]

Ken de routes door de stad

    [Snap je]

Ik ben blij als ik hier weg kan

    [Snap je]

Ik heb het wel gehad

    [Eerlijke dingen!]

Alles voor elkaar totdat 't instortte

en ik ging kats van het pad

    [Eerlijke dingen!]

Ik hou me mentaal scherp en ik werk in de gymzaal

Bewaar mijn rust telkens, blijf kijken naar mijn doel

Een frisse start in Zuid, een eigen appartementje

Als het allemaal meezit zit ik daar in september

En dat zit het want ik zweer het, de bodem, ik ben d'r

Kan alleen maar beter worden nu na deze bende

Binnen bemoei ik me met niemand, ben je gek?

Al heb ik respect voor elk zelfs de level een (1) crack-a-jacks

Ik krijg hier mijn eten, doe mijn klussen en ik heb een bed

Het is niet het ergste ever maar je moet snel weer weg

uit de herberg

Dat zeg ik de jonge gasten

die hier komen

ik bedoel ik moet toch een beetje op ze passen

Had het allemaal wel heel anders voor me gezien

ik zweer het

Als ik hier weg ben denk ik dit vormt me misschien

eerlijk

Trots dat ik uit de schulden ben, uit het apparaat

Vroeger deed ik kattenkwaad

Nu is het voor dat te laat

Ik ken het leven op straat

    [Snap je]

Ken de routes door de stad

    [Snap je]

Ik ben blij als ik hier weg kan

    [Snap je]

Ik heb het wel gehad

    [Eerlijke dingen!]

Een vrouw en een baan

    [Dat was wat ik had]

Een huis en een haard

    [Dat was wat ik had]

Ik ken het leven op straat

    [Snap je]

Ken de routes door de stad

    [Snap je]

Ik ben blij als ik hier weg kan

    [Snap je]

Ik heb het wel gehad

    [Eerlijke dingen!]

Alles voor elkaar totdat 't instortte

en ik ging kats van het pad

    [Eerlijke dingen!]

NAWOORD

Een vervolg op het boek *Land Woord Beeld* en de bijbehorende cd, natuurlijk waren we daarvoor te porren! Dit project uit 2013 is ons erg goed bevallen, dus toen we benaderd werden door Gerrit Teunis (directeur van Beter Wonen Vechtdal), was er weinig overtuiging nodig om ons aan boord te krijgen. Ook het team van Museum de Fundatie was erg enthousiast over dit idee en deed weer met veel liefde en inzet mee.

Straat Woord Beeld is echter van geheel andere aard. Waar bij LWB enkele landgoederen in Overijssel en hun bewoners centraal stonden, zijn hier juist de mensen zonder enige of met zeer weinig bezittingen geportretteerd. Dit boek en deze cd gaan over een wereld waar we vaak de uitvloeiselen van zien (we wonen vlakbij De Herberg in Zwolle) en de dak- en thuislozen die we her en der in de stad tegenkomen, zijn in de loop der jaren dan ook bekende hoofden geworden. We hebben openhartige gesprekken gevoerd met de deelnemers aan ons project, zijn met hen op stap geweest en hebben een beetje ervaren in welke situatie ze zitten. Het is leerzaam geweest: het zet de dagelijkse dingen in het juiste perspectief. Zonder uitzondering waren alle deelnemers erg openhartig, onze dank daarvoor is op zijn plaats. Omar, Henk, Björn, Herma en Frans, André, maar zeker ook Fritz, Coby en Jessica, dank je wel. We wensen jullie meer dan het beste voor de toekomst! De portretten hebben we zo eerlijk mogelijk gehouden, soms ruw, soms hard, maar altijd met toewijding gemaakt. Geen verheerlijking van de dramatiek maar we zijn er zeker ook niet voor weggelopen. Dit is een documentaire over het leven op Straat, in Woord en Beeld geworden. Wij zijn er trots op.

Junte Uiterwijk
Kinza Ferjani

BIOGRAFIE

Junte Uiterwijk

Dichter, musicus en rapper Junte Uiterwijk (Zwolle 1982), alias
Sticks, is een van de oprichters van de Zwolse rapformatie
Opgezwolle. Sinds 2008 is hij initiatiefnemer van het hiphop-
platform Fakkelteitgroep, opgericht om jong talent te steunen
en te begeleiden. Sinds 2013 vormt hij de formatie Great Minds.
Uiterwijk - geboren en getogen in Zwolle - begon met rappen toen
hij 13 was. Inmiddels heeft dit veel vrijere vormen aangenomen en
schrijft hij naast zijn rapteksten ook korte stukken en gedichten.
Hij houdt van spelen met taal, met drang naar vernieuwing en de
perfecte imperfecties.Een moderne dichter die met een feilloos
gevoel voor het nu zijn wereld omkadert. Inspiratie haalt hij uit
her en der opgevangen woorden, bewegingen en gedragingen van
mensen om zich heen en uiteraard uit zijn eigen gevoelswereld.
Zijn stijl kenmerkt zich als 'recht-voor-je-raap-rap' doorspekt
met straattaal en andersoortige slangwoorden. Voor het project
Straat Woord Beeld heeft Uiterwijk met zijn eigenzinnige en
invoelende blik enkele hoofdrolspelers in het Zwolse straatleven
op subtiele wijze weten te documenteren.

Kinza Ferjani

Fotografe Kinza ferjani (Tiel 1986) weet in haar werk precies
hoe zij op natuurlijke wijze de schoonheid van een persoon en
zijn of haar omgeving kan vastleggen. Zij maakt opnames op de
momenten waarop degenen die poseren zich onbespied voelen en
zich ontspannen. Ferjani's foto's tonen de schoonheid van het
alledaagse, niets wordt mooier gemaakt dan het is. In haar
portretten vangt zij karakters. In haar foto's van objecten of van
de wereld om haar heen kiest ze voor de weergave van een onverwacht
detail, omdat dat voor haar het grote geheel symboliseert. Ferjani
creëert tijdloze beelden waar leven in zit. Naast haar vrije werk
maakt ze foto's voor artiesten als Damien Marley, Nas, Sticks,
Ryan Marciano & Sunnery James en Jan Vayne. Tevens deed ze de
albumfotografie voor artiesten als Rico en Freez. Haar foto's
werden gepubliceerd in tijdschriften als Volvodrive, Glamsterdam,
Aktueel en op de Amerikaanse hiphop website The Source. In 2010
won Ferjani de Fotogram Trofee. In 2013 exposeerde zij tweemaal
in het kader van de Fundatie Fusions en maakte ze samen met Junte
Uiterwijk het boek *Land Woord Beeld*.

Colofon

'Straat Woord Beeld' is mogelijk gemaakt door:

Uitgave
Uitgeverij Waanders & de Kunst, Zwolle
Museum de Fundatie, Heino/Wijhe & Zwolle

Tekst
Junte Uiterwijk

Fotografie
Kinza Ferjani

Eindredactie
Karin van Lieverloo

Ontwerp
Harald Slaterus, Arnhem

Cd
tekst: J. Uiterwijk (Sticks)
productie en opname: A.R.Tahoeni (A.R.T.)
persing: Mediadub

Druk
ÈposPress, Zwolle

ISBN 978 94 6263 006 2
NUR 693

www.uitgeverijdekunst.nl
www.uitgeverijwaanders.nl
www.museumdefundatie.nl
www.fakkelteitgroep.nl
www.kinzaferjani.com